CW00410532

9 heures 44

Laurent Quentier

9 heures 44

LE LYS BLEU
ÉDITIONS

© Lys Bleu Éditions – Laurent Quentier

ISBN : 979-10-377-1671-2

Le code de la propriété intellectuelle n'autorisant aux termes des paragraphes 2 et 3 de l'article L.122-5, d'une part, que les copies ou reproductions strictement réservées à l'usage privé du copiste et non destinées à une utilisation collective et, d'autre part, sous réserve du nom de l'auteur et de la source, que les analyses et les courtes citations justifiées par le caractère critique, polémique, pédagogique, scientifique ou d'information, toute représentation ou reproduction intégrale ou partielle, faite sans le consentement de l'auteur ou de ses ayants droit ou ayants cause, est illicite (article L.122-4). Cette représentation ou reproduction, par quelque procédé que ce soit, constituerait donc une contrefaçon sanctionnée par les articles L.335-2 et suivants du Code de la propriété intellectuelle.

À mon père,
qui brille de là-haut autant qu'il m'inspire.

Nous sommes dans le salon d'un appartement sobre. Un téléphone portable, posé négligemment, se met à trahir le silence qui règne dans les lieux.

Allô ? Bonjour, docteur, comment allez-vous ?

D'accord, d'accord, parlons de moi.

Ah oui, les résultats ! C'est vrai. Dites-moi.

La conversation change les traits du visage de Gabrielle qui repose son téléphone.

Chapitre 1

Je l'ai retrouvée ce matin. Je ne travaille pas aujourd'hui, alors je me suis lancée dans un grand ménage de printemps. Elle était là, dans le placard. En bas, au fond. Toute sale, un carton posé dessus. (Tiens, c'est aujourd'hui, les cartons, faut pas que j'oublie.)

Même pas dans sa housse.

Ma guitare.

J'avais oublié comme elle est belle. Je me suis dit que ce serait une bonne journée, j'avais même pensé que j'allais en jouer un peu quand j'aurais fini de trier mes papiers et mes photos.

Je n'aurais pas dû décrocher, c'était une bonne journée. J'avais des heures à rattraper au boulot, j'ai posé un congé. Mes jours de repos, je ne réponds jamais au téléphone car je passe ma vie au téléphone, je suis télévendeuse. Je vends des produits nutritionnels révolutionnaires. Révolutionnaires, surtout pour le compte en banque de mon patron. Mon boulot me plaît, mais je ne veux pas téléphoner quand je suis en repos.

Pourquoi j'ai décroché ? Je croyais qu'on allait me proposer une sortie. Il fait beau. C'est débile, personne ne m'appelle pour me proposer une sortie. Qui m'appellerait ? Quand je sors, c'est seule. Mais, c'est bien la solitude.

Non, c'est un peu chiant. C'est ça, ma vie est chiante. Ta vie est chiante, Gabrielle.

Pourquoi j'ai décroché ? C'était une bonne journée. Pourquoi ça me tombe dessus à moi ?

Gabrielle Martin, bientôt trente-cinq ans, vie paisible et sans histoires, j'ai un cancer.

Sans aucune empathie, le téléphone sonne à nouveau.

Non ! Je ne décroche pas. C'est sûrement le médecin qui rappelle, je ne lui ai pas laissé le temps de me dire ce que j'avais comme cancer. Je ne veux pas savoir, c'est grave un cancer, non ? Je vais mourir.

Quand ? Je vais même pas avoir le temps de trier mes papiers si ça se trouve.

C'est sûrement un cancer chiant.

C'est le karma. Ça fait des années que je rêve que quelque chose de renversant arrive dans ma vie. Oui, je rêve beaucoup. Trop. Ma mère me l'a souvent dit, « Tu es toujours dans la lune, Gabrielle ». J'attendais un changement radical mais pas ça.

Je voulais me sentir vivante, pas mourante. J'aurais dû me contenter de ce que j'avais, plutôt que de rêvasser, d'imaginer une autre vie… Parce qu'aujourd'hui je suis bien avancée, non seulement j'ai une vie chiante mais, apparemment, elle est chiante à en crever.

Non, n'importe quoi. Je n'ai pas de cancer. Ce n'est pas possible. J'ai une vie normale. Je mange sainement. Je n'ai jamais touché aux drogues dures ni aux drogues douces, d'ailleurs. J'ai fumé deux taffes de cigarettes un jour, en 1996, mais j'ai vomi pendant trois heures.

Je ne bois pas. Je fais du sport (de temps en temps). Je fais exprès d'acheter du bio.

Personne dans ma famille n'a eu de cancer.

Je n'ai pas de cancer. Ce ne sont pas mes résultats, ce n'est pas possible. Je vais refaire un examen, je vais rappeler le docteur. Demain.

Chapitre 2

Aujourd'hui, je dois trier mes papiers, mes photos, et en brûler quelques-unes au passage. J'ai divorcé il y a six mois.

Elle sort un carton de photos et s'installe pour les trier.

« Christophe Barbarin, voulez-vous prendre pour épouse Gabrielle Martin ici présente, lui promettre de lui rester fidèle, de la soutenir et de la servir dans le bonheur comme dans les épreuves, dans la santé comme dans la maladie, et de l'aimer pour le restant de votre vie ? »

Elle regarde une photo.

Ça, c'est le moment où il a dit « oui ». À l'église Saint-Saturnin. Ma mère voulait absolument que je me marie à l'église. J'y croyais tellement, à ce

« oui ». C'était un « oui » très sincère, très sûr de lui. Qui aurait cru ? Il aurait dû dire « non ».

On a l'impression qu'on n'a pas vraiment le choix à ce moment-là. Qu'on est obligé de dire « oui ». Alors, on dit « oui » du coup.

En même temps, c'est logique, c'est pour gagner du temps. Parce que dire « oui, je te promets de te rester fidèle et de te soutenir », ça prend trois secondes. Alors que dire « non, finalement, je suis pas si sûr de vouloir te le promettre », ça dure sept ans.

L'âge de raison. L'âge où il a eu raison de moi plutôt. Moi qui ai toujours dit « oui » à tout.

Poubelle.

Elle jette la photo et en prend une autre.

Oh, celle-là ! Un an avant, la soirée où l'on s'est rencontrés. Julie, ma collègue de boulot, organisait sa crémaillère. Christophe était là, c'était un de ses voisins. On a tout de suite accroché. On avait des cadeaux pour Julie. Lui, un pot de fleurs, et moi, une orchidée. Alors, on s'est dit qu'on était complémentaires, bla-bla. C'était parti.

Trois mois après, Julie m'a dit que mon orchidée était morte. Apparemment, le pot était trop petit pour qu'elle puisse bien pousser.

Poubelle.

Elle prend une troisième photo.

La fête de mes trente ans. C'est censé être un beau souvenir, ses trente ans. Festif, inoubliable. Tout le monde a profité de la soirée, a dansé, a mangé.

Surtout Christophe.

Et Noémie.

Il y a toujours un invité dans les soirées, tu ne sais pas d'où il vient. Tu ne sais pas ce qu'il fait ici.

Noémie… Je ne sais plus trop si c'était la sœur d'untel ou la cousine d'untel. Mais, elle était là. Elle s'est assise sur une de mes chaises, a bu dans un de mes verres, a mangé dans une de mes assiettes et a dansé avec mon mari. C'est à partir de ce soir-là qu'ils ont commencé à coucher ensemble en cachette.

Je n'ai pas vu venir Christophe et Noémie. Je suis invitée à leur mariage le mois prochain. J'ai dit « oui », forcément. On s'est quitté en bons termes, je leur souhaite du bonheur. Beaucoup de bonheur pour Christophe et sa Noémie, plus drôle, plus libre.

Plus belle.

Elle jette la photo puis jette toutes les autres photos, et son regard se perd sur sa guitare.

Quand j'étais petite, je jouais tous les jours, dès que je pouvais. C'était la guitare de mon père, mais il me la prêtait. Il m'avait même appris quelques accords, et je lui avais promis que je lui composerais une chanson, un jour.

J'avais sa guitare dans les mains quand j'ai su. J'avais sept ans quand sa guitare est devenue orpheline. Un accident de voiture. Je n'y ai pas cru, je ne pouvais pas y croire.

La mort, ça ne vient pas comme ça, d'un coup. Si ?

Il faut que je refasse un examen. Je vais rappeler le médecin.

Elle prend son téléphone et se perd sur internet.

CANCER (n. m) :
Nom générique de certaines espèces de crabes.

Non.

CANCER (n. m) (médical) :
Nom dérivé du latin *cancer*, désignant un ensemble de cellules indifférenciées qui se multiplient de manière indéfinie en échappant au contrôle de l'organisme, et qui envahissent et détruisent les tissus voisins. Elles se répandent dans l'organisme en métastases et mettent en péril la survie de l'organisme...

Je ne comprends rien. J'arrête là. Je ne continue pas la suite de l'histoire, à mon avis à la fin, tout le monde meurt.

Mais pas moi. Pas moi ! Je n'ai rien fait pour ça, ce n'est pas juste.

Ça n'arrive pas comme ça, un cancer, à l'improviste.

Chapitre 3

Bonjour ! Je suis bien à l'agence Immo Globine ? J'aimerais parler à celui qui s'occupe des logements qui se trouvent sur la région de Gabrielle.

C'est vous ? Parfait. Je viens m'installer et j'ai besoin de savoir ce que vous avez à proposer à une tumeur comme moi.

Non, je n'ai pas prévenu que j'arrivais, j'adore débarquer à l'improviste.

Il me faut un logement au plus vite. Et j'ai certaines exigences que, je suis sûre, vous saurez satisfaire. Au début, bien sûr, je me ferai la plus discrète possible, mais il me faut un logement avec de la surface, pour installer toutes mes cellules tumorales. Je jette un coup d'œil à votre brochure, et je vous dis si j'ai besoin de saignements, de renseignements, pardon.

On va procéder par élimination. Éliminons tout d'abord les défenses immunitaires puis les globules blancs. Et enfin, les tissus sains et les organes.

Ah, les premiers jours de boulot, c'est toujours très excitant !

Le cerveau ? Quartier Nord, pas mal. J'adore l'exposition. Il y a de quoi faire là-bas, pour une hyperactive comme moi ! Ah, je n'avais pas vu le prix. Ça coûte les yeux de la tête. Autre chose ?

Les poumons ! Une valeur sûre. Beau duplex, superficie très satisfaisante, fenêtres en double pontage, je suis conquise. Cependant, c'est une erreur, cette norme anti-pollution ? La qualité de l'air est quasiment parfaite, elle n'a jamais fumé une cigarette de sa vie ?

Ce n'est pas possible, comment voulez-vous travailler dans ces conditions ?

L'estomac, surtout pas, je suis ulcérée par les petites habitations.

Le sang, non plus, je ne veux pas passer ma vie en déplacements.

Le sein ? Ce n'est pas très original. Dans ma famille, nous en habitons depuis plusieurs générations, et il est de plus en plus difficile de s'intégrer à cause du catastrophique progrès de la médecine. Dites-moi, est-ce que vous auriez un organe abrité ? Un peu reculé, pas trop exposé ? Parce qu'entre vous et moi, c'est dans mon plus grand intérêt que d'être protégée des rayons.

La gorge ? Pourquoi pas, mais c'est une région un peu venteuse, je…

Les enfants ! Où vous courez comme ça ?

Excusez-moi, elles sont intenables.

Méta ! Stase ! Venez ici ! Ce n'est pas possible, vous êtes les plus grandes, montrez un peu l'exemple. Toujours en train de faire les malignes.

Elles sont tellement vigoureuses, j'en serais presque à regretter de me reproduire autant !

Bon, assez tourné autour du pot, donnez-moi celui-là. Ce sera parfait. Travailleuse comme je suis, de toute façon, je ne vais pas mettre de temps à chercher des résidences secondaires. Vous savez comme nous sommes, les tumeurs : motivées, surprenantes, destructrices, et plus que jamais, je suis maligne de conduite.

Chapitre 4

Qu'est-ce qu'il y a à la télé ?

Bonsoir, Mesdames et Messieurs, bienvenus dans notre grand tirage national où vous aurez, peut-être, la chance de faire partie de nos 380 000 gagnants chaque année. Nous jouons pour un cancer et les numéros gagnants sont :

Le **15**, évidemment.
Le **40** de fièvre.
Le **8** de tension.
Le **25** kilos en moins.
Le **74** euros pour la perruque.
Le moral à **0**.
Et le numéro complémentaire : le **6** pieds sous terre.

Félicitations ! Nous avons une gagnante ! Une certaine Gabrielle Martin, habitant la ville de Décès dans le département de l'Eure-est-Arrivée !

Chapitre 5

Je ne peux pas rester toute seule ici, il faut que j'en parle à quelqu'un.

Ma mère ? Non, quelqu'un que j'apprécie.

Valentine, ma copine d'enfance !

On se connaît depuis le collège, on s'est rencontrées à l'infirmerie. J'avais mal au genou parce que j'étais tombée dans les escaliers la veille, et elle venait chercher la pilule du lendemain. On pleurait toutes les deux à ce moment-là, mais ces larmes sont rapidement devenues des larmes de joie.

On ne s'est plus quittées.

(Enfin, si, quelques fois quand même.)

Quand elle est sortie avec Damien.

(Mon Damien.)

Quand elle a copié sur moi et que j'ai eu cinq heures de colle pour tricherie.

Quand elle a jeté le chat du concierge par la fenêtre et que j'ai été expulsée une semaine.

Mais on s'est toujours retrouvées. La fille du proviseur et sa meilleure amie qui lui portait son sac. J'étais là, abritée du soleil par Valentine, avec mon petit carnet rouge à la main.

Où il est ce carnet rouge ?

Je m'en servais surtout pour lui recopier ses leçons, mais parfois j'écrivais des choses à moi dedans, quand elle me laissait un petit coin de page libre pour m'exprimer. C'était comme ma sœur. Ça l'est toujours, même si on se voit beaucoup moins.

On était ensemble le jour du Bac, quand je l'ai raté la première fois. Le jour de mon mariage, le jour du sien ou quand elle a eu son premier enfant.

C'est main dans la main qu'on a fêté toutes ses réussites, et tous mes échecs. Et aujourd'hui, c'est la seule avec qui j'ai envie de partager ce qui m'arrive. C'est la seule qui m'écoutera.

« Tu m'écoutes ?

S'il te plaît, assieds-toi quelques minutes, j'ai vraiment besoin de te parler, c'est pour ça que j'ai demandé à te voir rapidement. Merci d'avoir libéré ta matinée, d'ailleurs. Quelle maman idéale, avec sa petite tribu !

Tu sais, on devrait se voir plus souvent, quand même. Le temps passe tellement vite. Je ne les vois pas grandir tes trois enfants.

Cinq ? Déjà… Comment vont-ils ? Et leur papa, ce cher Damien, comment va-t-il ? Toujours en voyage d'affaires en Asie ?

Non, non, on n'est pas en contact, j'ai vu ça sur Facebook.

Non, on n'est pas amis sur Facebook. Bref.

Vous allez fêter vos dix ans de mariage ? Oui, je viendrai avec plaisir ! Tu me rediras la date exacte.

Courant octobre ? Je serai là.
Enfin… Non, peut-être pas. Voilà, c'est ça que je voulais te dire. Je viens d'apprendre quelque chose que je n'avais pas prévu. Je suis…

Enceinte ? Non, pourquoi tu dis ça ?

Oui, j'imagine que c'est merveilleux de sentir quelque chose qui pousse et se développe à l'intérieur de soi. Mais ça dépend des cas, crois-moi.

Oui, c'est beau les enfants, je sais. J'adore les enfants. Tu m'as vue tout à l'heure, quand je regardais les photos du petit Thomas.

Fabien ? En tout cas, ce n'est pas prévu que je donne naissance. Au contraire. Et juste pour info, je n'ai pas prévu de me marier non plus, au cas où tu te poses la question.

Tu ne te poses pas la question, très bien.
Depuis Christophe, en même temps, le seul anneau que j'accepte de porter, c'est mon anneau gastrique.

Oui, ça va beaucoup mieux par rapport à Christophe, mais ce n'est pas le sujet.
Tu peux éteindre l'aspirateur, s'il te plaît ? J'ai besoin de ton attention. Je ne sais pas par où commencer.

Le début ?
Bonne idée. J'étais fatiguée depuis un moment, j'avais des migraines très fortes, alors j'ai appelé mon médecin et j'ai passé des examens. Il a eu les résultats et il m'a appelée ce matin, à 9 heures 44 et là il m'a dit… Que je suis…
Que je… Que j'ai…
Un cancer.

Tu peux arrêter de me fixer, s'il te plaît. Et dire quelque chose ?

Je ne sais pas ce que c'est comme cancer, non.

J'ai peur. Je veux aller voir le docteur pour en savoir plus, mais j'aimerais vraiment que tu m'accompagnes.

Ah, oui. Je comprends, les enfants.

Si tu veux, je t'appellerai pour te raconter ce qu'il a dit et…

Oui, d'accord, je vais y aller. Je ne voudrais pas te faire rater ton cours de natation.

Dis-moi juste que ça ira, que tu seras là. Et que moi aussi, je serai là.

Je ne veux pas mourir. Il y a tellement de choses que je voulais faire.

Oui, j'ai déjà fait de belles choses, mais…

Tu n'espérais pas mieux pour moi ? Très bien. Je vais te laisser, je crois que j'ai besoin de me vider la tête.

Écrire ? Oui, je sais que ça fait du bien d'écrire. Mais, quoi ?

La chanson de ta vie ? C'est vrai, je devais t'en composer une.

Tu as retrouvé quelque chose à moi ?

Mon petit carnet rouge ! C'est toi qui l'avais depuis tout ce temps ? »

Chapitre 6

Elle ne peut pas comprendre. Personne ne peut comprendre. Je suis toute seule face à ce cancer.

Quel silence, ici !

Une fois encore, sa guitare lui tend les bras.

Tu m'as toujours remonté le moral, toi. Mais tu ne m'as servi à rien. Tu ne m'as pas aidée à composer la chanson pour papa.

Ni pour Valentine. Ni pour Damien.

Ni pour moi.

Ma chanson. J'étais tellement sûre que j'allais vivre une vie pleine de passion, d'aventures, de couplets et de refrains…

Ma chanson. J'avais oublié.

Je vais essayer avec l'accord en sol.

Où il est mon carnet rouge ? Pas de chanson sans paroles.

Alors, chanson de ma vie, qu'est-ce que tu pourrais bien raconter ?

Bonjour mon cher journal intime
Tu ne vas pas en croire tes lignes
Bientôt, je quitterai cette Terre
…

Rime en « erre ». Réfléchis Gabrielle.
Pas cancer. Pas cancer. Autre chose.

Bonjour mon cher journal intime
Tu ne vas pas en croire tes lignes
Bientôt, je quitterai cette Terre
À cause de ce foutu…

Non ! Autre chose !

Chapitre 7

Je vais aller au musée. C'est bien, il fait beau. Je vais arrêter de penser à ça.

L'architecture… Les artistes phénoménaux… Les œuvres incontournables… Les peintures, les sculptures…

« Et les photos sont interdites pendant la visite !
Bonjour à ceux qui viennent de nous rejoindre ! Et bienvenue dans ce monument unique, chargé d'histoire, témoin du temps qui passe, de notre société et de ses vestiges.

Je suis "La Mort" et je serai votre guide pour la matinée ! Je vais vous raconter tous les détails de ce lieu mythique. Et pour tous ceux qui ne parlent pas français, n'hésitez pas à vous munir d'un petit traducteur audio en Bluetooth.

C'est important pour moi de savoir que tout le monde me suit. Les traducteurs sont disponibles à l'accueil.

L'accueil, puisqu'on en parle ! Le lieu de toutes les rencontres, vos premiers pas dans notre univers.

Comme vous pouvez le constater, la peinture est d'époque, elle n'a jamais été changée depuis la construction du bâtiment en 1988, les craquelures et les jaunissements des murs sont les gardiens intemporels de la mémoire de ces lieux.

Après la visite, vous pourrez essayer notre petit jeu de mise en situation où il vous sera demandé d'attendre le plus longtemps possible, sans râler, avant d'être accueillis froidement et de sortir votre ordonnance le plus vite possible, et tout ça, sans sourire une seule fois, sinon vous êtes disqualifiés !

J'espère que vous passez un bon moment ici, en tout cas c'est un honneur pour moi de vous faire découvrir cet hôpital. Vous y verrez la plus grande collection de natures mortes jamais réalisée.

Continuons la visite avec le service oncologie.

Ah, notre service oncologie ! Mon préféré ! Certainement le plus visité de nos jours, il ne manque pas de tenir toutes ses promesses.

Regardez-moi cette affluence ! Grâce à moi, vous n'allez pas faire la queue, je vous ai pris à tous un speedy-pass coupe-file qui vous permet d'être au cœur du service le plus vite possible.

S'il vous plaît, regardez tous à droite, nous commençons par un tableau peu connu, mais très intéressant. Il s'appelle « Cancéreux qui ne comprend rien aux symptômes et au traitement ».

Au centre, une femme, qui vient d'apprendre qu'elle a un cancer. Regardez le détail de l'œuvre, la minutie avec laquelle l'artiste a réalisé son travail, vous avez remarqué, sur le visage de la femme, la petite larme à gauche ?

À ses côtés, un médecin-chef tellement habitué à annoncer la nouvelle, qu'il ne prend aucun gant et laisse sa patiente dans un état de choc sidéral et d'incompréhension totale. Sublime, non ? Jamais le côté inhumain et glacial qu'un médecin peut avoir n'avait été aussi bien représenté.

Juste à côté, un autre tableau, que certains ont déjà dû voir de près ou de loin : "Veuf, attendant dans le couloir que sa femme rende son dernier souffle".

Celui-ci, il est de moi.

Dernier tableau de l'étage : "Petite fille en rémission après cinq ans de combat contre le cancer".

Vraiment pas mon préféré, mais il est très apprécié, apparemment. Allez savoir.

Pour continuer, ne manquez surtout pas cette sublime statue en marbre "Employé au bord du gouffre", plus actuelle que jamais.

Notez la précision avec laquelle les cernes sous les yeux sont réalisées. Et cette mine fermée et désespérée, un vrai petit bonheur ! J'y vois les derniers instants avant un suicide, mais chacun peut imaginer la fin heureuse qui lui convient.

Juste après notre statue, vous pourrez jouer à un petit jeu de réalité virtuelle où de véritables employés doivent tenir le coup face à des coupes budgétaires, des gardes interminables, des licenciements ou des préavis de grève.

Un moment de détente absolue.

Je vais maintenant vous laisser continuer la visite en autonomie, je suis très occupée, et tellement dévouée à mon travail que je dois m'éclipser. J'ai une to-do list longue comme le bras à terminer.

Pour quitter ce service, nous avons conçu une petite sortie ludique, un toboggan qui vous amène sur la terrasse. Vous verrez, c'est très amusant de sortir d'ici les deux pieds devant.

Merci de m'avoir écoutée, et j'espère, à très vite ! N'oubliez pas votre carte vitale si vous souhaitez vous faire plaisir dans la boutique souvenirs, elle se trouve juste à côté de la terrasse, et vous pourrez profiter d'une formidable vue sur la mer. »

Chapitre 8

La mer… La mère. Je dois lui dire. Je vais aller lui parler.

Non, je vais lui écrire.

« Chère Maman, virgule,

Non.

Chère Maman, point.

Je sais que tu détestes que je t'appelle comme ça, mais c'est un cas exceptionnel. Ce n'est pas une lettre comme les autres. C'est une lettre que j'aurais dû t'écrire depuis longtemps. C'est en quelque sorte, virgule, **une lettre d'adieu.**

Non, elle va paniquer.

C'est en quelque sorte, virgule, **une lettre de mise au point.** Point. Virgule ? Point-virgule.

Je viens d'apprendre une mauvaise nouvelle.

Je ne vais pas y aller par quatre chemins.

Je suis souffrante. Je viens d'apprendre que j'ai un cancer. Mais à vrai dire, cela fait un moment que je souffre. Je vais te poser une question toute simple que, je suis sûre, tu trouveras ridicule :

Pourquoi tu ne m'as jamais aimée ?

C'est vrai, j'aimerais bien savoir, à la fin.

Je n'ai jamais demandé un amour inconditionnel, absolu, mais un peu d'affection de ta part de temps en temps ne m'aurait pas tuée.

En parlant de tuer, je ne sais pas de quel cancer il s'agit, ni si j'en guérirai. Mais je prends le temps de t'écrire aujourd'hui car je veux m'offrir la chance de guérir de toi. T'écrire ce que j'ai sur le cœur, mettre les choses au point. Point.

Ne nous mentons pas, ne nous mentons plus. Je ne vais pas bien, je sens que ce cancer est grave. J'imagine ta surprise, toi qui m'as toujours répété que j'étais incapable de réussir quoi que ce soit, je crois que cette fois-ci, je ne me suis pas loupée.

C'est ironique, non ? Je vais mourir d'un cancer, comme Monica, ouvrez les guillemets, **la seule, de tes filles, qui comptait à tes yeux,** fermez les guillemets. **Ton chihuahua.**

Oui, je t'entends déjà me dire que je suis rancunière, mais j'avais huit ans quand tu m'as dit ça et j'ai été particulièrement marquée. J'ai été marquée aussi, lorsque tu as dit, en parlant de moi, qu'heureusement que mon père était mort pour qu'il ne voie pas le désastre.

Mais le désastre est ici, il prend la peine de t'écrire et t'invite à lui répondre. Comme tu le vois, et malgré ce que tu pensais, mes névroses ne sont pas passées grâce au catéchisme.

Parlons-nous, avant qu'il ne soit trop tard. Cela me ferait du bien, et je pense qu'à toi aussi.

C'est efficace, sobre.
Un peu trop, non ? J'ai un cancer quand même.

Pardonne-moi de couper court à cette lettre, je n'ai plus de forces pour tenir mon stylo. Les symptômes ne me permettent plus de faire d'efforts trop longtemps. En plus, je dois me déplacer pour aller vomir en rampant, comme je

n'ai plus l'usage de mes jambes, et difficilement puisque je ne vois plus que d'un œil.

Parfait.

Je ne sais même pas comment signer…
Dois-je écrire "Gabrielle" ?
"Ta fille" ?
Ou comme tu aimais si bien m'appeler plus jeune,
"Ta peine maximale" ?

Dépêche-toi de me recontacter car comme tu viens de le lire, virgule, **je suis déjà très mal en** point. »

Elle va répondre.

Non, elle ne va pas répondre.

Si c'est pour me reprocher une fois de plus d'être venue au monde, je n'ai pas envie qu'elle le fasse. C'est terminé. Elle ne me fera plus pleurer. Je ne serai plus sa victime.

Je ne serai plus une victime.

Chapitre 9

« Agence Poids Plume, Gabrielle, bonjour !

Avez-vous reçu notre mail d'information concernant notre nouveau programme révolutionnaire ? »

Ah, bonjour, Monsieur le Directeur !

Oui, je sais j'avais demandé ma journée, mais je suis venue tout de même pour vous parler.

Oui, bien sûr, j'attends.

« Agence Poids Plume, Gabrielle, bonjour !

Oui, ce tout nouveau programme exceptionnel permet des résultats en seulement trois semaines. Ah, mais c'est garanti ! Je ne suis pas là pour vous raconter des salades mais pour que vous en mangiez. »

Monsieur le Directeur, je…

D'accord, j'arrive, je vous apporte ça tout de suite.

Oui, un demi-sucre, je sais.
Voilà, Monsieur. Je voudrais vous dire…

« Agence Poids Plume, Gabrielle, bonjour.
Pas de résultats depuis deux mois ? En même temps, chère madame, vous n'avez que trois kilos à perdre. Ce n'est pas très grave, relativisez. Je viens d'apprendre que j'allais entamer un régime très efficace et je ne suis pas particulièrement réjouie. »

Monsieur, j'ai bien réfléchi et je pense qu'il serait préférable que…

En retard ? Oui, j'ai eu quelques minutes de retard, mais c'est que je viens d'apprendre…

La dernière fois ? Oui, Monsieur. C'est la dernière fois que je serai en retard. Parce que c'est la dernière fois que je viens ici. Je quitte mon poste.

Non, ce n'est pas une question de salaire.

Non plus, ce n'est pas par rapport à l'équipe, même si tout le monde est con ici.

Je viens d'apprendre…

Laissez-moi parler. J'ai été à l'heure tous les jours pendant presque douze ans et vous ne m'avez jamais félicitée. Je vous ai apporté chaque matin votre café avec un demi-sucre et vous ne m'avez jamais remerciée. Ça fait cinq cafés par semaine, environ 25 cafés par mois, 300 cafés par an donc quasiment 3600 putains de cafés dans une carrière et jamais un seul « merci ».

Oui, je suis un peu à cran. Je n'en peux plus de voir ce bureau pourri, avec ces post-its pourris, parler de ces programmes révolutionnaires pourris.

Je viens d'apprendre que j'allais mourir alors, j'ai décidé de vivre.

« Agence Poids Plume, Gabrielle, adieu. »

Chapitre 10

Je vais enfin pouvoir profiter. Profiter de ce qui me reste, en tout cas.

Arrêter d'être responsable. D'être comme il faut.

Arrêter de me mettre de côté. Arrêter de m'épargner. Vivre. Claquer. Tout claquer. Dépenser sans compter. Adieu la Gabrielle qui ne s'est jamais rien offert. Jamais. Même pas à l'époque du collège. Quand Valentine et toutes les filles avaient le même tee-shirt : un petit haut noir avec des strass dorés sur lequel il y avait écrit SUPERSTAR.

Qu'il était beau ! Toutes celles qui le portaient devenaient des filles classes, à la mode, libres, puissantes.

Moi, je me privais et ne dépensais rien. Et j'ai continué ça toute ma vie. Mon banquier était ravi, c'est d'ailleurs le seul homme avec lequel j'ai construit une relation forte et durable.

C'est terminé, je ne vais pas emporter mes économies avec moi. Je veux connaître cette sensation de plaisir, ressentir l'euphorie de la dépense ! Sans culpabiliser. Sans penser à mettre de côté au cas où il arriverait une tuile. La tuile, elle est là, et c'est l'heure du shopping. 9 heures 44, les magasins doivent être ouverts.

À moi les devantures flamboyantes et les vendeuses au petit soin !

« Bonjour, Madame !

Oui, je suis du magasin. Je peux vous renseigner ?

Très bien, je vous laisse faire un tour.
Un petit café, peut-être ?

N'hésitez pas.

Exactement, ces modèles appartiennent à la nouvelle collection, nous venons à peine de les recevoir et vous êtes une des premières à les découvrir.
C'est pour une personne de quel gabarit ?

C'est pour vous ? Parfait, nous allons pouvoir vous trouver quelque chose d'idéal. N'hésitez pas si vous ne trouvez pas la bonne taille, nous avons tous les formats en réserve.

Je peux me permettre de vous proposer ça ? Allez-y, essayez-le !

Verdict ?

Ah, vous vous sentez étouffée dedans ? Non, bien sûr je comprends que ça puisse être gênant, nous allons partir sur autre chose. De plus, le noir, certes, ça affine, mais c'est un petit peu morbide, quand même. Partons sur quelque chose d'un peu plus léger, d'un peu plus vivant, d'estival !

Le téléphone du magasin lui coupe la parole.

Une petite minute !

Elle trottine jusqu'à son bureau pour décrocher.

« Mortel de Toi – Pompes Funèbres », Sandra à votre écoute ?

Oui, Madame, nous sommes ouverts toute la journée sans interruption, et j'aurai l'honneur de vous accueillir personnellement.

Au plaisir de vous voir !

Elle revient à Gabrielle.

Excusez-moi. À nous ! Ne vous en faites pas, nous allons le trouver, le cercueil qui est fait pour vous.

Vous disposez de quel budget ?

Ah.

Je vous propose celui-là alors. C'est un modèle suédois, il est livré en kit. Toutes les vis sont fournies à l'intérieur, cela ne prend que deux heures et demie de montage.

Vous n'êtes pas emballée.

Mais il y en a d'autres, regardez-moi celui-là, vous n'allez pas vous en relever : doux, aéré, pas trop volumineux, reflets un peu teintés. Installez-vous.

Alors ? Apparemment, on est très bien dedans, figurez-vous que c'est le modèle que j'ai acheté à ma mère, et elle a toujours le même aujourd'hui !

Non plus ? Bon.

Est-ce que par hasard, vous auriez un ami, ou un proche, qui cherche la même chose ?

Dommage. Vraiment dommage, parce que ce modèle bénéficie d'une promotion à couper le souffle : pour un acheté, le second est à moitié prix.

Il vous le faut pour quand exactement ?

Vous ne savez pas ? C'est embêtant. Nous allons rentrer une nouvelle collection d'ici un mois, mais ne prenons pas le risque. D'expérience, je me permets de vous dire qu'il ne faut pas trop tarder non plus, parce que je vous trouve un peu pâle.

Mais c'est une bonne nouvelle ! Parce que nous avons un modèle qui se monte en deux minutes top chrono, et qui fait fureur chez les randonneurs. Pour le démontage, ça prend un peu plus de temps, mais a priori, ça ne devrait pas poser de problèmes.

Toujours pas…

Regardez-moi, celui-là ! Il est en acajou.

Évidemment, il a été verni à la main. C'est un produit hors compétition, la certitude d'un confort éternel. Vous êtes bien dedans, hein. Il vous plaît ?

Allez, c'est dans la boîte !

Pour le tarif, nous sommes à 3890 euros TTC, prix auquel il faut rajouter les accessoires, bien entendu.

Tout va bien, Madame ? Vous vous décomposez.

Vous ne regretterez pas votre achat, c'est un produit haut de gamme. Et puis, entre nous, vous n'allez pas en acheter un tous les jours, il vaut mieux partir tout de suite sur de la qualité, plutôt que de revenir dans un mois s'il ne convient pas, non ?

Voilà ce que je voulais entendre ! C'est comme s'il avait été créé pour vous, j'en connais une qui va faire des étincelles lors de sa crémation !

Pour les accessoires, vous voulez quelque chose de particulier ?

Bien sûr qu'il faut des accessoires ! Il faut ajouter les poignées, on peut aussi mettre une croix.

Pas de croix, très bien.

Mais il faut la plaque ! La plaque que l'on visse dessus, c'est très chic. Contre-plaqué argenté ou doré, vous choisissez !

Doré, excellent choix. Pour la gravure, quelque chose vous ferait plaisir ? D'habitude, nous gravons : nom, prénom, année de naissance et année de décès.

C'est vrai, c'est un peu conventionnel.

Alors que voulez-vous graver sur cette plaque ?

SUPERSTAR ? »

Chapitre 11

Le cancer, c'est le bonheur !

Depuis combien de temps je n'avais pas été en terrasse ?

Garçon ?

Prendre un verre. Ne penser qu'à soi. À ses rêves, à ses désirs.

Garçon ?

Elle parcourt une application de rencontres sur son téléphone.

Jérémy, pas joli. Mathieu, trop vieux.

Timidoudu12 ?

Enchantée. J'ai eu du mal à te reconnaître sans le, sans les… Sans Photoshop.

Un café ?

Je vais en prendre un moi aussi. Si le serveur se décide à venir !

Garçon !

C'est pas trop tôt 9 heures 44 ? Je n'ai pas eu de rendez-vous depuis longtemps.

Ça a l'air très sympa ici, en tout cas. Tu viens souvent ?

À chaque rencard ? C'est-à-dire ?

Deux fois par semaine ? Eh bien, quel homme !

Ta couleur de cheveux elle est naturelle ?

C'est marrant, j'ai connu une Monica qui avait les mêmes reflets.

Sur le site, ta présentation m'a beaucoup plu. J'aime bien ton humour. En revanche, tu as voulu dire quoi par « bipolaire à tendance maniaco-dépressive, nerveusement limité et affectivement névrosé » ?

Ah, un chagrin d'amour ! Je comprends, besoin de passer à autre chose.

Moi le chagrin j'ai assez donné. L'amour cependant…

Ah non, pas de relation longue. Me projeter dans la durée, pas vraiment.

Des plans ? Tu es architecte ? Je rigole. Des plans culs, bien sûr. Eh bien, oui. Je n'ai pas peur de le dire, je veux un amant. Me foutre en l'air, euh, m'envoyer en l'air !

Non je n'ai pas fait beaucoup de rencards ces derniers temps, je bossais beaucoup… Mais je suis au chômage depuis ce matin, alors je vais pouvoir me rattraper.

Non, c'est une excellente nouvelle ! Toi tu fais quoi dans la vie ?

Policier ? C'est un beau métier ça, dis donc. J'adore les hommes en képi. Et ton signe astrologique, c'est quoi ?

Sagittaire ? Super !

Ascendant Cancer ? Décidément.
Garçon ? C'est pas vrai à la fin, qu'est-ce qu'il fait ?
Bon, on disait quoi ?

Des plans. Voilà. Je serais partante ! Je ne suis pas très difficile et je n'ai pas vraiment le temps d'être exigeante. On éteindra la lumière.

De nouvelles expériences ? Ça dépend desquelles. J'ai toujours eu une vie sexuelle assez classique, je ne suis pas prête à tout non plus. Mais un peu de piment, pourquoi pas.

Des menottes ? Non, jamais essayé. Toi oui ?

Déformation professionnelle sûrement.

Garçon ! J'en ai marre, je suis invisible ou quoi ?

Quoi ? Comment ça, tu y vas ? On n'a pas eu notre café, on n'a pas fait notre plan…

Chiante ?
Tu me trouves chiante ?
Mais je m'en fous de ce que tu penses, abruti. Je viens d'apprendre que j'ai un cancer, j'ai envie de m'envoyer en l'air comme jamais sans me faire payer le restau, et je suis chiante ?
J'allais te proposer de me plaquer contre ta voiture sans avoir commis d'infraction, de me passer les menottes sans avoir le droit de garder le silence, mais si je suis chiante, je te laisse y aller. Casse-toi.

Comment ?
Je t'excite ?

Dans ta voiture ?

Depuis mon divorce, je n'avais pas encore… Avec un…

Garçon !

Je vais vous prendre une bouteille de champagne. Un seul verre, je n'attends personne.

À mon cancer !

À tout ce que je ne m'étais jamais offert !

À moi ! À moi qui vais enfin être remarquée par les autres, et devenir extraordinaire !

Chapitre 12

Plus de place pour cet après-midi ? Même pas pour les pointes ? Quel dommage, c'était la dernière fois que je pouvais venir. Je vais mourir d'un cancer.

Ben oui, grave, si je vais mourir. Genre, terminal d'aéroport et je suis en train d'embarquer, là.

Mais qui sait, je vous rappellerai peut-être pour des conseils sur l'entretien de ma perruque. Demain matin ? Parfait !

●

Oui, Monsieur l'agent, je sais, c'est 50 en ville. J'étais à… 82 ? C'est parce que je me dépêche d'aller à l'hôpital. J'ai un cancer très grave. Terminal d'aéroport.

Merci ! Oui, merci ! Non. Je ne le ferai plus, ce serait dommage de me tuer sur la route.

●

Je sais que ça reste à vie un tatouage, mais ce n'est pas vraiment un problème pour moi. J'en veux un gros, un très gros, sur le bras là. Un phénix qui déploie ses ailes. C'est symbolique, j'ai un cancer, je vais prendre l'avion…

Ça va faire mal ? J'ai toujours eu envie de faire couler de l'encre !

●

Allô, Valentine ? Tu sais que je suis une superstar, moi aussi maintenant ?

Tu n'as pas le temps, je sais. J'ai réfléchi et vois-tu, je t'ai toujours considérée comme ma meilleure amie. Mais comme je n'en ai pas d'autres, j'ai réalisé que ça faisait également de toi la pire. Je ne t'écrirai jamais de chanson, connasse.

●

Je n'avais pas prévu de prendre la parole ce soir, mais je tenais absolument à dire aux deux mariés, tout ce que j'avais sur le cœur…

Noémie, on ne se connaît pas beaucoup, mais on a partagé plein de choses sans le savoir. Un homme, notamment, pendant presque cinq ans. Je ne t'en veux pas, je ne te déteste pas. Ce que je déteste, ce sont les étoiles que tu as dans les yeux en le regardant. C'étaient mes étoiles à une époque.

Et tu savais que les étoiles que l'on voit, en fait elles sont mortes depuis longtemps ?

Christophe, laisse-moi finir, j'ai encore plein de bonheur à vous souhaiter.

Christophe… Le pire marié jamais vu. Je te déteste, je te vomis, je te chie dessus, ça donnera peut-être un peu de couleur à ton costume ridicule.

Je vous souhaite donc, à tous les deux, un mariage comme ce champagne que chacun s'efforce à boire : amer et sans saveur.

Et en vous voyant tous les deux, aujourd'hui, je me sens extrêmement chanceuse d'avoir la vie que j'ai. Et c'est dire.

Alors les mariés, les docteurs, les flics, les coiffeurs, les vendeurs, les patrons, les tumeurs, les amis et la famille… Je vous emmerde.

De ne m'avoir jamais remarquée.
De ne m'avoir jamais respectée.
Considérée.
Soutenue.
Je vous emmerde,
Parce que le monde va continuer à tourner

Parce que le soleil va continuer à se lever

Parce que je suis née rien

Parce que je n'ai pas laissé de traces

Parce que vous allez rire

Parce que vous allez chanter

Parce que vous allez vieillir

Parce que vous allez vivre.

Ce cancer, je l'ai depuis toujours.

Ce cancer, c'est vous. Qui m'avez agrippée de votre méchanceté, de votre indifférence, de votre médiocrité.

À cause de vous, je n'ai plus rien.

Chapitre 13

Ma chanson. J'ai ma chanson.

Elle attrape sa guitare.

Accord en ré.

Bonjour, mon cher journal intime
Tu ne vas pas en croire tes lignes
Bonjour, mon cher journal de bord
…

Bonjour mon cher journal de bord
…

C'est quoi les autres accords que tu m'avais
appris ?
Sol, ré… La ?
Tu es là ?
Papa, réponds-moi maintenant, ça suffit ce silence.

Je vais prier.

Je n'ai plus rien à perdre.

Il y a quelqu'un ?

Ah, bonjour, mon Père.

Pardonnez-moi parce que…

Non, ne me pardonnez pas, vous n'avez rien à me pardonner, parce que je n'ai jamais péché. Je n'ai jamais fait de mal à qui que ce soit.

Et aujourd'hui, j'ai un foutu cancer qui sort de nulle part et c'est dégueulasse.

C'est moi qui dois vous pardonner, mon Père.

Dites-moi, je peux vous appeler « Monsieur » ?

Parce que mon père, le vrai, ne m'a jamais fait de fausses promesses, lui. Et j'aimerais lui parler. Vous pouvez me le passer ?

Oui, me le passer. Si j'en crois ma mère, vous avez une excellente connexion ici, et je dois lui parler.

Je sais, ça ne marche pas comme ça. Mais ça ne marche pas du tout, en fait. Votre Dieu, là.

Je peux vous dire un secret ? Je ne crois pas en Dieu.

Parce que s'il y avait un Dieu quelque part, aujourd'hui, mon père serait là. Et moi je n'en serais pas là.

Non, je n'ai pas perdu la foi. J'ai foi en moi, pour la première fois de ma vie, et c'est quelque chose que vous ne m'avez jamais appris au caté, ça.

Qu'avant tout, il fallait croire en soi.

Je voudrais parler à mon papa, s'il vous plaît, mon Père.

Parce qu'il me manque un accord. Je voudrais composer une chanson, et j'ai besoin de lui.

Pourquoi composer une chanson ? Pour faire quelque chose de grand, de beau, quelque chose de fort, avant de partir.

J'ai une idée ! Vous n'allez peut-être pas m'aider à parler à mon père, mais il y a quelqu'un d'autre qui sera très content de venir ici.

Je peux vous demander un service ?

Chapitre 14

Je vais organiser un événement ! Et pas n'importe lequel : mes adieux à cette Terre.

Hors de question de partir discrètement. Je veux laisser à tout le monde un souvenir inoubliable de qui était Gabrielle. Je les invite tous. Et la bonne nouvelle, c'est que les gens n'osent pas refuser.

Allô, cousine Véronique ? C'est Gabie. Gabrielle. Cousine Gabrielle ! Voilà. Comment ça va ? Bien ?

Ah, tu as perdu ton mari ? Très bien. C'est marrant les coïncidences parce que, justement, je t'appelle pour un enterrement !

Oui, c'est vrai. Le mien.

Non, je ne plaisante pas, Véronique. Je vais mourir. Comme tout le monde.

La date exacte, je ne l'ai pas, mais j'ai vraiment envie de tous vous revoir avant le grand départ. C'est à l'église Saint-Saturnin. Je compte sur toi ! J'ai vraiment hâte, on va bien rigoler. Je t'embrasse, et embrasse…

Non, rien.

Ceux qui n'ont jamais été présents pour moi vont enfin pouvoir se rattraper. En plus, j'ai prévu un buffet alors, aucune excuse. Je veux tout le monde sur le parvis à 9 heures 44 pétantes !

Bon.

Je vois que jusqu'au bout, je serai obligée de subir le manque de ponctualité des autres. J'avais insisté pour que vous soyez à l'heure, ce n'est quand même pas la mort.

C'est ma mère tout craché, ça, il faut toujours qu'elle soit en retard.

C'est dommage, elle était là à ma naissance, je suis sûre que ça lui aurait plu de voir la fin du film, mais tant pis, il faut commencer.

Merci à vous tous d'être là, en tout cas. Et merci à notre Père ici présent, d'avoir bien voulu m'allouer l'église ce matin pour mon pré-enterrement. Promis, mon Père, nous allons faire vite. En plus, je viens de voir l'état de tante Hippolyne, et j'aimerais mieux éviter de partager ma cérémonie avec elle.

Tout le monde est bien installé ?

Commençons.

Soyez attentifs, si vous m'écoutez bien, ça ne devrait pas être très long.

D'abord, l'attitude générale à adopter en début de cérémonie.

J'ai écrit un petit texte pour vous aider à vous mettre dans l'ambiance !

« C'était un beau dimanche que le ciel nous réservait. L'éclatant soleil allait parer les regards pleins d'espoir des innocents, de ses subtils et lumineux rayons ».

J'espère qu'il va faire beau temps.

« Mais, si le Ciel avait le cœur à la fête, la Terre, quant à elle, se préparait à célébrer le départ d'une de ses enfants. L'église, provocante et fièrement perchée au sommet du village, s'apprêtait à sécher en son sein, les milliers de larmes des invités inconsolables… »

Alors, sur ce point, vous êtes libres. Ceux qui ne veulent pas pleurer, ne vous forcez pas. Je tiens absolument à ce que ce moment soit spontané et authentique.

Où j'en étais ? Ah oui !

« … Invités inconsolables.

Là, perçant l'horizon comme un aigle fonçant sur sa proie, s'approchait le corbillard.

Ce cheval d'acier d'un noir de dernière nuit, pudique mais gonflé de chagrin, fit jaillir de ses entrailles la défunte, au beau milieu de la foule désespérée. »

Petit point, merci de ne pas toucher mon cercueil. C'est de l'acajou et il a été verni à la main, alors les traces de doigts se voient tout de suite.

Ensuite, le cercueil entre dans l'église.

Ne soyez pas surpris, il sera déplacé du parvis vers l'église sur des roulettes. Pour une raison qui ne regarde que moi, il ne dispose que d'une seule poignée.

Cela étant, vous entrez tous dans l'église et vous vous installez. Une petite minute de silence est prévue, même pour ceux qui me connaissent un peu moins, on fait un effort.

Merci d'éteindre vos téléphones portables et de ne pas utiliser de flashs si vous voulez prendre des photos.

Mon Père, en suivant, j'imagine que vous allez enchaîner avec l'Eucharistie ?

Alors, sur ce point, je vous laisse une totale liberté : lâchez-vous, faites-vous plaisir, kiffez la vibe, je n'y connais pas grand-chose mais faites comme d'habitude, vous parlez, les gens répètent, les enfants de chœur chantent.

Oh, j'y pense ! En parlant des enfants de chœur, pouvez-vous rajouter au groupe le petit Timmy, mon cousin par alliance ? Selon sa mère, il a une très jolie voix du haut de ses sept ans. En plus, il est célibataire.

Je reprends,

« Le silence et le recueillement des âmes, occupant l'église, faisaient un vacarme ahurissant. La messe du prêtre bouleversa l'auditoire, laissant derrière elle l'impression d'avoir coupé le souffle à tous, et que seul le cercueil semblait respirer en direction d'une éternité flamboyante. »

Blablabla mon père qui êtes aux cieux, « Ave Maria », « Caruso », « Con te partiro », « Un pasito bailante Maria », Amen.

Ensuite vient le moment des discours !
Quelqu'un a écrit quelque chose ?

Non ?

Allez, ne soyez pas timides !

Bon. L'émotion, j'imagine.

« Dans une ambiance aussi glacée que la température de son cadavre, Gabrielle semblait attendre sa nouvelle vie avec la lueur candide de ceux qui n'ont plus peur de rien, car le pire leur est arrivé. Un à un, les proches de la nouvelle princesse du Royaume de la Mort se levèrent face à celle qui avait bouleversé leurs vies et qui laisserait derrière elle une empreinte indélébile. »

Prenez le temps de me dire au revoir, et sortez. Soyez chacun…

« La dernière brise dans la chevelure de ma vie ».

Oui, mon Père ?

Ma mère vous a laissé un hommage ?

Chapitre 15

« Je n'ai jamais voulu d'enfant, Gabrielle était un accident.

Bon, on est tout de suite dans le thème.

Au premier regard que j'ai posé sur elle, j'y ai croisé ma plus grande peur : être une mauvaise mère.

Mission accomplie, maman !

Souvent, petite, je la regardais dormir le soir avec l'angoisse jamais vaincue de la décevoir. Elle semblait si paisible que j'aurais aimé qu'elle garde à jamais les yeux fermés sur la femme que j'étais. Mais ils s'ouvraient toujours le matin, pleins d'espoir et de joie, tandis que je n'y voyais que mon triste reflet, mes peurs et mes remords.

Je savais déjà qu'elle devrait faire face à la présence d'une mère qui ne lui apporterait jamais ce qu'elle était en droit de demander, et à l'absence d'un père, parti trop tôt, que je ne réussirais jamais à combler.

Petit à petit, elle a perdu l'étincelle qu'elle avait en naissant. Adolescente, elle ne riait plus, n'attendait déjà plus de compliments, elle qui avait déjà tant essayé. Je n'ai jamais eu la force de lui dire que je l'aimais. De lui dire à quel point je regrettais, et que toutes ces églises, dans lesquelles je la traînais de force, étaient pour moi le seul endroit où je pouvais espérer être pardonnée d'être passée à côté d'elle.

Mais je l'ai aimée. Très mal, très silencieusement, mais très sincèrement. Pas étonnant que ce soit devenu une rêveuse, toujours dans la lune.

C'est la première fois que je m'exprime sur le sujet, car c'est une journée particulière. Je regarde ma fille qui a les yeux fermés, comme je l'ai souvent fait, en sachant qu'ils ne s'ouvriront plus jamais. Et pour la première fois, je donnerais tout pour qu'ils s'ouvrent.

Je passe d'une mère désespérante à une mère désespérée, et aujourd'hui je peux le dire : ma peine est maximale.

Chère fille, repose-toi et pardonne-moi. »

C'est bien ce que je disais, il faut toujours que ma mère soit en retard.

Chapitre 16

À sa guitare.

Eh bien, ma vieille ! On dirait que tu n'étais pas la seule à être désaccordée. Pardonne-moi d'avoir été une si mauvaise coéquipière. Mais à l'époque, quand je te voyais au fond de ma chambre, cachée de tous, couverte de poussière et silencieuse, je te considérais comme ma sœur. Comme ma fille, même. Je t'avais adoptée, pour qu'au moins l'une de nous ne soit plus orpheline. Tant de points communs. Et toutes les deux si tristes qu'il soit parti.

C'est toi qui m'as aidée à rêver. À vouloir écrire la chanson de ma vie. Si j'avais eu du talent, nous aurions pu faire de belles choses ensemble. Mais je n'ai jamais été foutue ne serait-ce que de trouver un bon accord. J'imagine finalement que toi et moi, nous étions destinées au silence.

Mais qu'est-ce qu'on aura ri ! À l'abri du monde dans notre chambre, à jouer des heures entières. À jouer à tout, sauf de la musique !

Tu te souviens quand je me servais de toi comme d'une table basse pour servir à manger à mes poupées ?

Quand tes cordes étaient un toboggan pour mes barbies ?

Ou quand tu devenais un vaisseau magique pour partir sur la lune ? Mon jeu préféré !

Moi qui regrettais de ne pas avoir assez voyagé, j'ai presque failli oublier que tu m'as offert mes plus belles vacances. Tu as été un pilote exemplaire, atteignant toujours ta cible et ne me décevant jamais. Le voyage était parfois très rapide, parfois très long, mais, allongée contre toi, tes cordes faisant des marques sur mes joues, je me sentais tellement libre, tellement sûre de moi et de ma destination.

Elle atterrit sur la lune.

Quand nous arrivions enfin, le protocole était toujours le même :

Tout d'abord un tour d'horizon pour voir si personne n'était venu coloniser mes terres, en mon absence.

Puis, tout doucement, mon pied touchait le sol. Et je me levais. Droite et fière comme jamais, j'admirais la vue, souhaitant ne plus jamais repartir. Je courais ensuite des kilomètres, enjambant les cratères en riant et retombant, me recouvrant de poussière. Je me sentais tellement légère, tellement forte. Inébranlable.

Dans cette galaxie, j'étais le plus brillant désastre.

Et puis, toutes les deux, nous étions bien, hein ? Personne pour nous juger, pour nous rabaisser, pour nous dire quoi faire. Là-bas, nous étions les reines, il n'y avait que nous. Et que le chant du silence était beau à entendre.

Un rire brise le silence.

Il y a quelqu'un ?

Qui est là ?

Écoutez, ce n'est pas drôle, montrez-vous ! C'est ma lune, ici. Alors je vous prie de quitter les lieux tout de suite. Je vous préviens, je ne vous le dirai pas une seconde fois !

Une petite fille s'avance vers elle.

Ah, c'est toi ?

Viens, n'aie pas peur, tu peux t'approcher.

Tu as quel âge ?

Sept ans ? Tu es venue avec ta guitare, toi aussi ?

Oui, pardon, évidemment que c'est un vaisseau. Je m'appelle Gabrielle.

Oui, je sais, toi aussi. Je te connais, même si toi tu ne me connais pas. Et j'espère que tu ne me connaîtras jamais. Pas telle que je suis.

Tu ne comprends pas ? C'est normal, je parle comme les grandes personnes, qui disent n'importe quoi.

Mais viens, approche-toi de moi. Je ne te ferai pas de mal. Je suis la seule qui ne veut que ton bien, même si je t'ai oubliée.

Tu vas rester longtemps, ici ?

Pas trop longtemps, hein. Je sais, on a l'impression que c'est bien, mais pas tout à fait. On est seul, ici. Personne pour nous parler, personne pour nous regarder, pour jouer avec nous. Et si tu restes ici, tu finiras comme moi.

Va plutôt jouer avec tes copains d'école. Sors de ta chambre. Pardonne à ta mère, pardonne à ton père.

Sois vraie, sois toi. Ne t'excuse jamais d'être venue au monde, ne sois pas désolée d'être qui tu es.

Ne te mets pas de côté, n'écris dans un carnet rouge que si c'est pour toi. Si tu aimes un garçon à qui tu ne plais pas, sois triste, pleure et aimes-en un autre. Trouve un travail qui te fasse oublier les lundis matin, voyage pour que le monde et ses possibles te paraissent plus grands. Si on te trompe un jour, c'est l'autre qui s'est trompé, pas toi.

N'attends pas un miracle pour t'épanouir, le miracle c'est toi.

Ne finis pas comme moi, Gabrielle Martin, bientôt trente-cinq ans, vie paisible et sans histoires, avec un cancer.

N'entache pas ta vie et tes souvenirs avec des si. C'est tellement triste, ces si…

Si.

Évidemment ! Pourquoi je n'y ai pas pensé plus tôt !

Chapitre 17

Bonjour, mon cher journal intime
tu ne vas pas en croire tes lignes
Bonjour, mon cher journal de bord
j'ai enfin trouvé un accord

À la manière d'un conte de fées
je t'avais tout fait partager
Depuis mes plus tendres années
une vie de rêve, une vie rêvée

Aujourd'hui, je suis une étoile
dans la plus vaste galaxie
Sur ma vie, je lève mon voile
mais l'on me voit car j'ai péri

D'accord, d'accord, je voulais composer
D'accord, d'accord, mais je me suis trompée
D'accord, d'accord ; que je voulais parfait

D'accord, d'accord, tous ces regrets maudits
D'accord, d'accord, ils se chantent aujourd'hui
Sur l'accord, l'accord, oui sur l'accord en si

Si j'avais su dire je veux
si j'avais su dire je peux
Si j'avais dit non quelques fois
si j'avais cru un peu en moi

Comme de l'écume sur un rivage
j'apparais puis je prends le large
À peine le temps de m'admirer
qu'à l'horizon je suis rappelée

Sur les aiguilles du temps figées
un petit crabe s'est posé
Ses pinces ne lâchent pas prise
je m'en vais, je me réalise

D'accord, d'accord, je voulais composer
D'accord, d'accord, mais je me suis trompée
D'accord, d'accord ; que je voulais parfait

D'accord, d'accord, tous ces regrets maudits
D'accord, d'accord, ils se chantent aujourd'hui
Sur l'accord, l'accord, oui sur l'accord en si

D'accord, d'accord, je voulais composer
D'accord, d'accord, mais je me suis trompée

D'accord...

Son téléphone se jette dans sa main.

D'accord. Parlons de moi.

Pardon, docteur, j'étais dans mes pensées.
Vous disiez, vous avez les résultats ?

Ah, tout va bien ? Une santé de petite fille ?

Merci, docteur.

Elle raccroche et regarde sa montre.

9 heures 45.

Remerciements

Merci à toutes les personnes qui, de près ou de loin, ont permis à cette histoire de naître.

Merci à mes amis qui ont su respecter mes deux histoires : celle-ci et celle qui l'a inspirée, qui ont toujours été là pour m'éloigner des doutes et me pousser à aller de l'avant.

À ma famille, résiliente et digne.
Merci, maman, pour ton soutien sans faille, ta bonté d'âme et ta générosité.
Merci, grande sœur, le meilleur modèle que j'aurais pu avoir.
Merci, petite sœur, d'avoir donné vie à Gabrielle, et de lui prêter ta voix.
Votre amour et votre aide me sont indispensables.

Merci à la vie, aussi belle que cruelle, aussi désarmante qu'inspirante.

Et enfin, merci à vous qui tenez ce livre dans les mains, cette histoire est désormais la vôtre. Je vous souhaite un beau voyage.

Imprimé en Allemagne
Achevé d'imprimer en novembre 2020
Dépôt légal : novembre 2020

Pour

Le Lys Bleu Éditions
83, Avenue d'Italie
75013 Paris